ERICH RAUSCHENBACH

Ich bin schon wieder Erster!

Eine karikaturistische „Lebenshilfe"
für Erotomanen und -innen

Stalling

1. Auflage 1982
© 1982 by Stalling Verlag GmbH,
Oldenburg-Hamburg-München
Alle Rechte vorbehalten
Gesamtherstellung: Clausen & Bosse, Leck
ISBN 3-7979-1716-3

Die erogenen Zonen...

...der Frau: ...des Mannes:

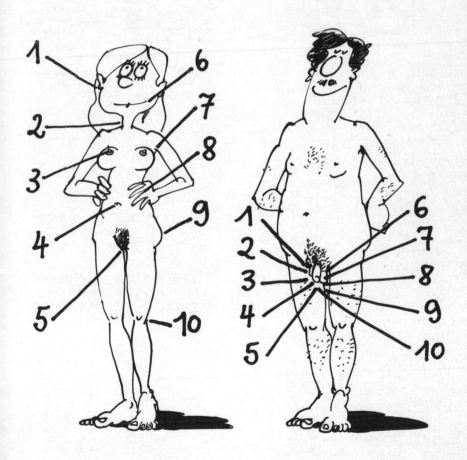

MEIN GOTT! IN
3 JAHREN WERDEN
WIR SCHON ZWANZIG!

DANN DAUERT'S NICHT
MEHR LANGE, DANN
SIND WIR DREISSIG.

DANACH GEHEN WIR
SCHWER AUF DIE
VIERZIG, FÜNFZIG ZU.

UND DANN WERDEN WIR
RUCKZUCK SECHZIG,
SIEBZIG, ACHTZIG....

...NEUNZIG!

WIR SOLLTEN SCHNELL
MITEINANDER BUMSEN,
BEVOR WIR ZU ALT SIND!

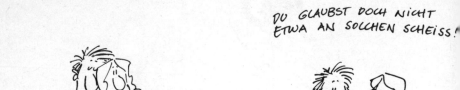

WEISST DU, WAS MEIN PROBLEM IST?

MEINE GROSSMUTTER WAR FEMINISTIN...

...UND MEINE MUTTER WAR FEMINISTIN...

...UND <u>ICH</u> LIEGE MIT EINEM MANN IM BETT!

ICH WEISS NICHT, OB ICH DICH MAG. DAS KANN
ICH DIR ERST NACH DER ERSTEN NUMMER SAGEN.

... ALS MEIN FREUND MICH ANRIEF UND MIR SAGTE,
DASS MEINE FRAU MICH BETRÜGT, BRACH FÜR
MICH EINE WELT ZUSAMMEN ...

ALLE MEINE FREUNDINNEN
HABEN JETZT EINEN MANN...

...BLOSS ICH HAB
IMMER NOCH DICH.

KANNST DU DICH NOCH
ERINNERN, WANN WIR DAS
LETZTE MAL MITEINANDER
GESCHLAFEN HABEN?

VOR DREI ODER VIER
WOCHEN, GLAUB' ICH...

SAGENHAFT...

...ICH GLAUB', ICH
KÖNNTE SCHON
WIEDER!

NANU? WAS IS'N DAS?

ACHSO, NUR IHR PIEPHAHN. TSCHULDIGUNG!

PAPI! PAPI! DER STÖPSEL RUTSCHT IMMER RAUS !!!

DAS HAT ER VON DIR.

WENN DU DICH NEUERDINGS
WEIGERST, FÜR MICH ZU
KOCHEN, MUSS ICH LEIDER
DIE KONSEQUENZEN
ZIEHEN...

...DANN KOCHE
ICH EBEN SELBER!

MIT WEM BIST DU EIGENTLICH
VERHEIRATET? MIT MIR ODER MIT DEM DA?

DU HAST ECHT 'NEN STARKEN ARSCH, EH!

EHRLICH, DER IST ECHT STARK, EH!

VERPISS DICH!

HAST DU GLÜCK, DASS ICH MIR NICHTS AUS DICKEN ÄRSCHEN MACHE!

KÜSSCHEN AUF'S ÖHRCHEN
FÜR MEIN KLEINES BÄRCHEN...

...KÜSSCHEN AUF DEN RÜCKEN,
BALD WERD' ICH DICH BEGLÜCKEN

...KÜSSCHEN AUF DAS PÖCHEN,
BALD ZWICKT DICH HIER EIN FLÖHCHEN...

...KÜSSCHEN AUF DAS SCHENKELCHEN,
GLEICH KOMM ICH MIT MEI'M HENKELCHEN...

...KÜSSCHEN AUF DEN SPANN...

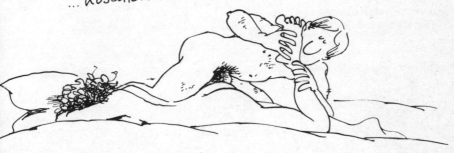

...UND DU BIST DRAN!

NETTER, JUNGER,
GUTAUSSEHENDER
TYP, ...

... 29/184, LED., SCHLK.,
SPORTLICH, ...

....

HUMORV., MUSIKAL.,
NICHT UNINTELLIG.,
UNKONVENTIONELL, ...

... SUCHT ...

... GUTAUSSEHENDES,
SELBSTBEWUSSTES,
POLITISCH LINKS
ENGAGIERTES ...

......

... EMANZIPIERTES
MÄDCHEN ...

HOHOHOHO

DU FASST MICH ÜBERHAUPT
NICHT MEHR AN !!!

WAHRSCHEINLICH EKELST
DU DICH VOR MIR. !

ABER LIEBLING...

FASS MICH NICHT AN !!!

SO, JETZT SITZEN WIR ALSO, GENAU WIE DU'S IMMER WOLLTEST, MAL
WIEDER WIE FRÜHER ALLEIN IM MONDSCHEIN AUF EINER PARKBANK —
UND WAS HASTU NUN DAVON?

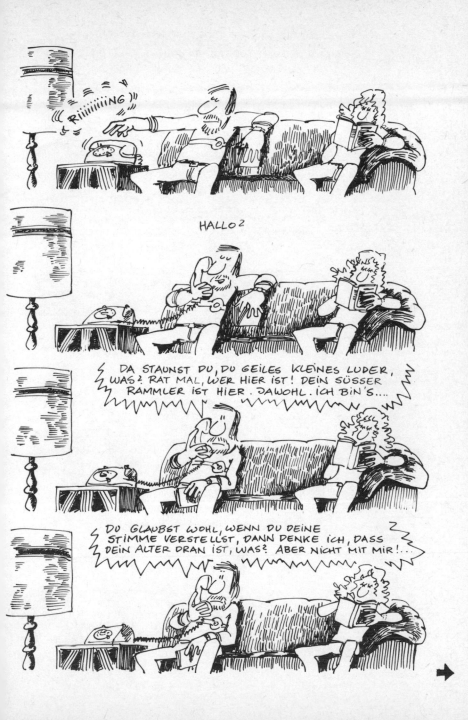

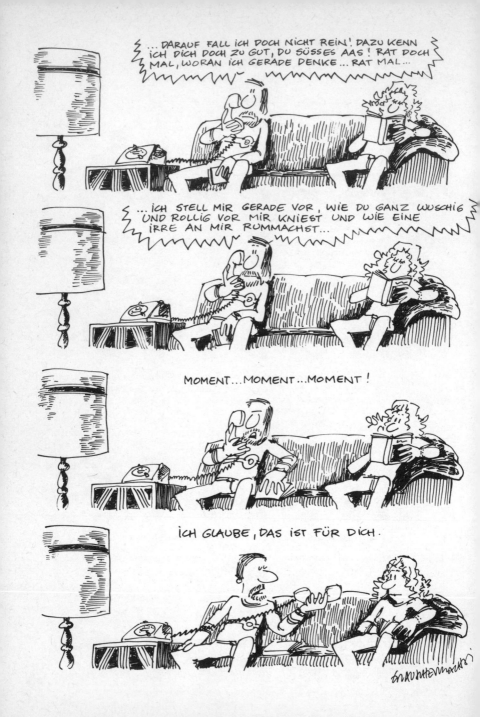

HAST DU LUST
MIT MIR ZU
SCHLAFEN?

EH, ICH HAB DICH
WAS GEFRAGT!

OB DU MIT MIR
SCHLAFEN WILLST,
HAB ICH GEFRAGT!

NA DANN EBEN
NICH!

FLOPP

...WIE ICH DIESE SCHEISS-
FATA-MORGANAS HASSE !

ICH KANN MIR EIN LEBEN OHNE DICH ÜBERHAUPT NICHT MEHR VORSTELLEN...

KÜSS MICH!

②

HALT MICH GANZ FEST!

④

ZIEH MICH AUS!

⑥

➡

ZIEH DICH AUCH AUS!

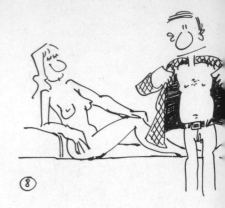

⑦

⑧

AUCH DIE HOSE!

⑨

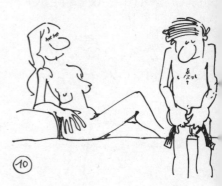

⑩

SCHLAF MIT MIR!

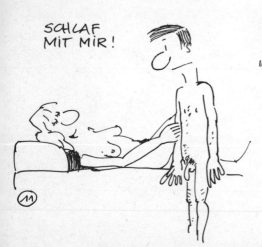

⑪

DU KÖNNTEST RUHIG MAL „BITTE" SAGEN!

⑫

ICH MÖCHTE GERN EIN KIND VON DIR.

ABER WIE STELLST DU DIR DAS DENN VOR?...

MEINE FRAU WÜRDE DIR NIE EINS VON DEN BEIDEN ABGEBEN!

WIR SOLLTEN MAL WIEDER
EINE GANZE NACHT LANG WIE
VERRÜCKT MITEINANDER BUMSEN...

...ICH HAB WIEDER ZUGENOMMEN!

DASS DU JEDESMAL SO EINE SHOW
ABZIEHST, WENN ICH MAL KEINE LUST HABE....

ICH WERDE DICH
ALSO JETZT VERLASSEN!

UND DIESES MAL IST
ES FÜR IMMER!

MACH MIR BITTE
KEINE SZENE!

DEINE TRÄNEN
KOMMEN ZO SPÄT!

DEIN BETTELN
IST UMSONST!

VERSUCH BITTE NICHT,
MICH ZURÜCKZUHALTEN!

ICH GLAUBE, KARSTEN
FÄNGT AN, SICH FÜR MÄDCHEN
ZU INTERESSIEREN...

... ER HAT GESTERN ZUM ERSTEN
MAL EINS VERPRÖGELT !

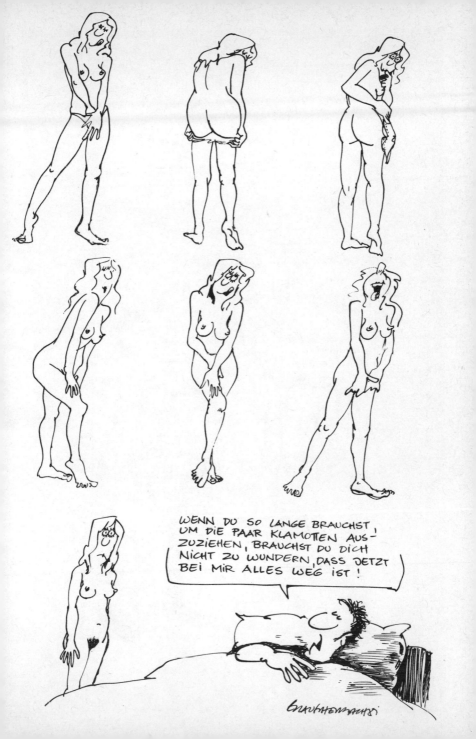